OOR WULLIE

WULL'S GOIN' TAE WATCH THE FIREWORKS WI' THE BOYS,
BUT POOR WEE HARRY CANNAE ABIDE THE NOISE.

WULLIE'S IN AN AWFY QUANDARY, ABOOT WHIT TAE DAE WI' HIS MA'S LAUNDRY.

HOW CAN WULLIE CAUSE TROUBLE AROOND THE TOON,
WHEN MURDOCH CAN SEE HIM SITTIN' DOON?

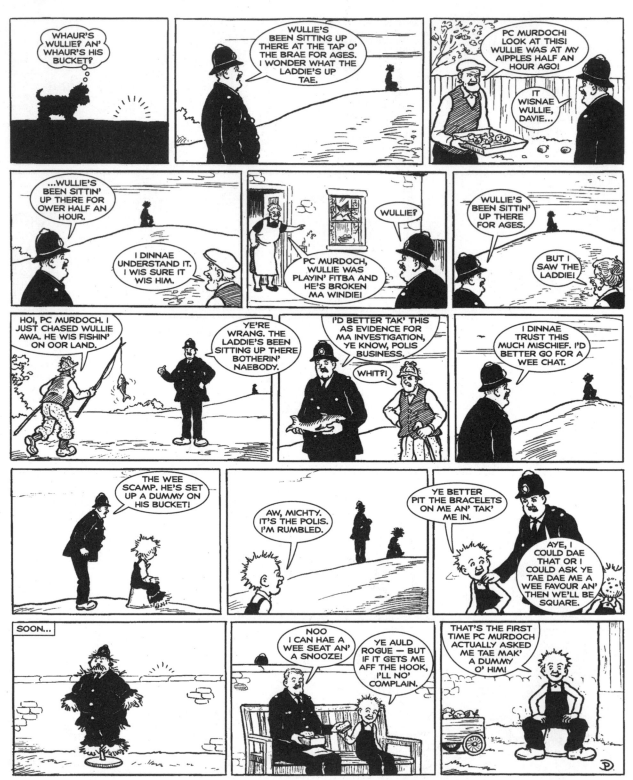

WHAT WILL WULLIE DAE AS A CAREER?
THE FUTURE MICHT NO' BE SAE CLEAR!

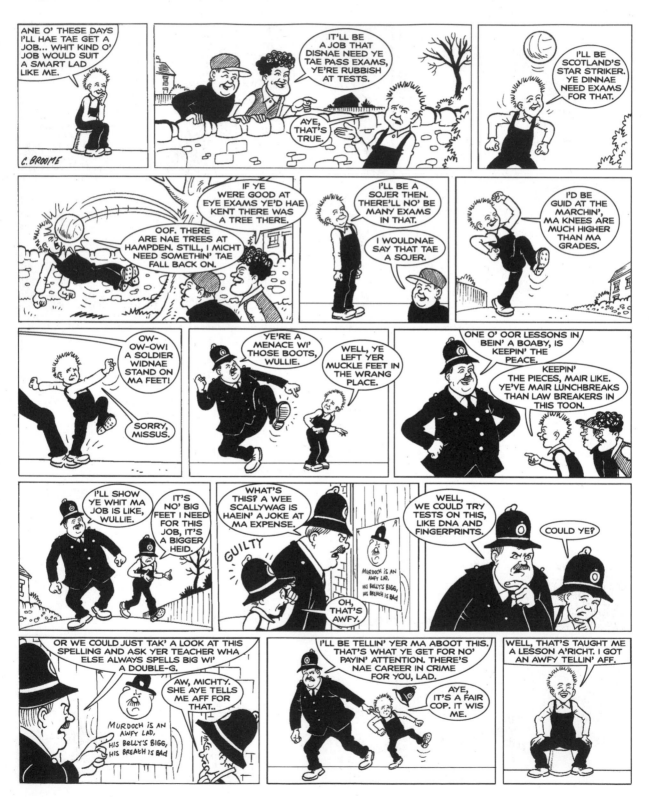

WULLIE'S HEAD IS SPINNIN' ROOND,
HOWEVER WILL HE SPEND HIS POOND.

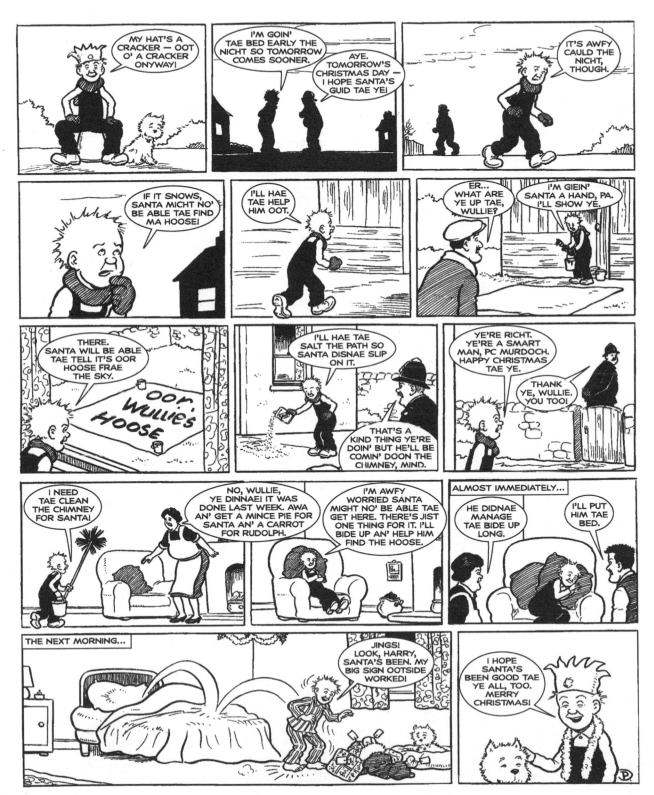

OOR WULLIE'S FULL O' CHEER, CELEBRATING THE NEW YEAR!

IT'S TERRIBLE TAE SEE HOW BAD THINGS GO,
WHEN POOR WULLIE JIST CANNAE SAY "NO".

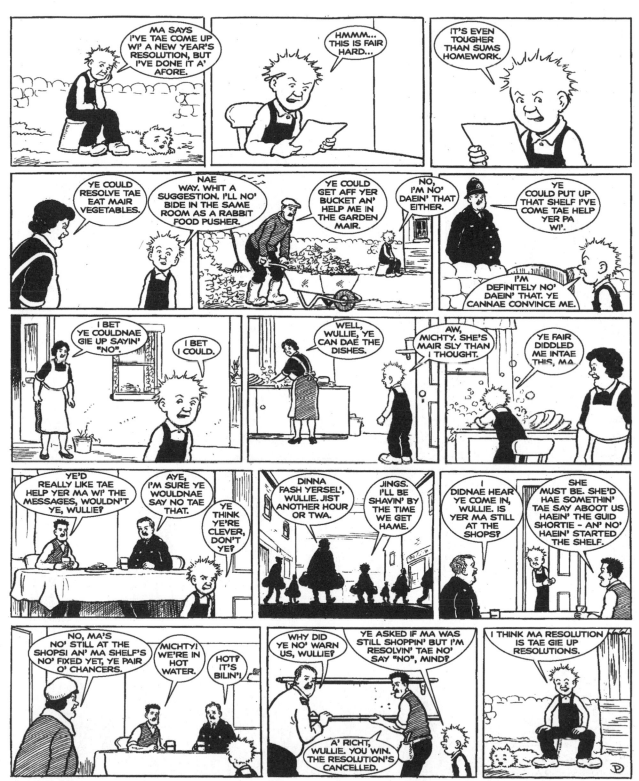

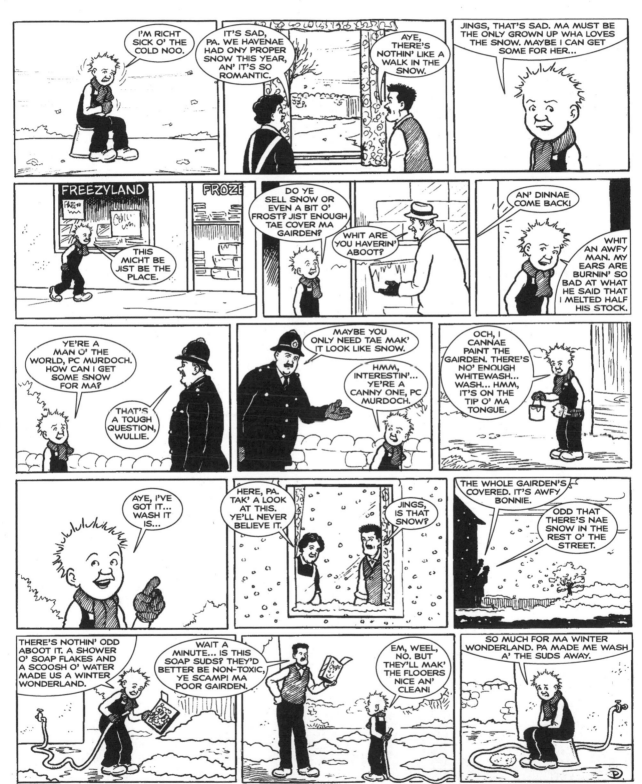

POOR WULLIE NEEDS TAE KNOW
HE'S NO' THE STAR O' THE SHOW.

WULLIE KENS MA WOULD PROHIBIT HIS BRAND-NEW SCOTTISH EXHIBIT!

WULLIE ISNAE IN DISMAY
WHEN HE GETS NOTHIN' FOR VALENTINE'S DAY.

WULLIE'S BUCKET BEGINS TO FAIL,
BUT CHUCKIN' IT OOT IS BEYOND THE 'PAIL'.

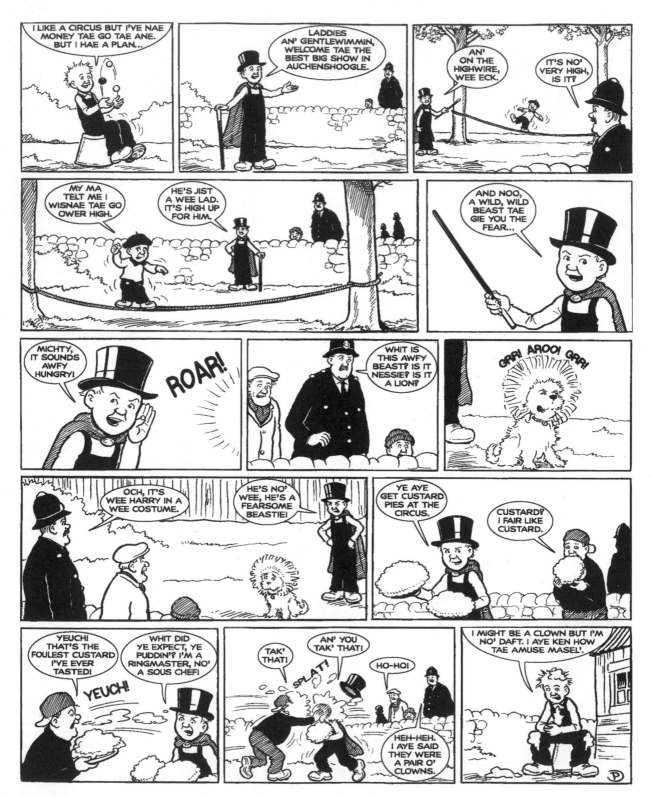

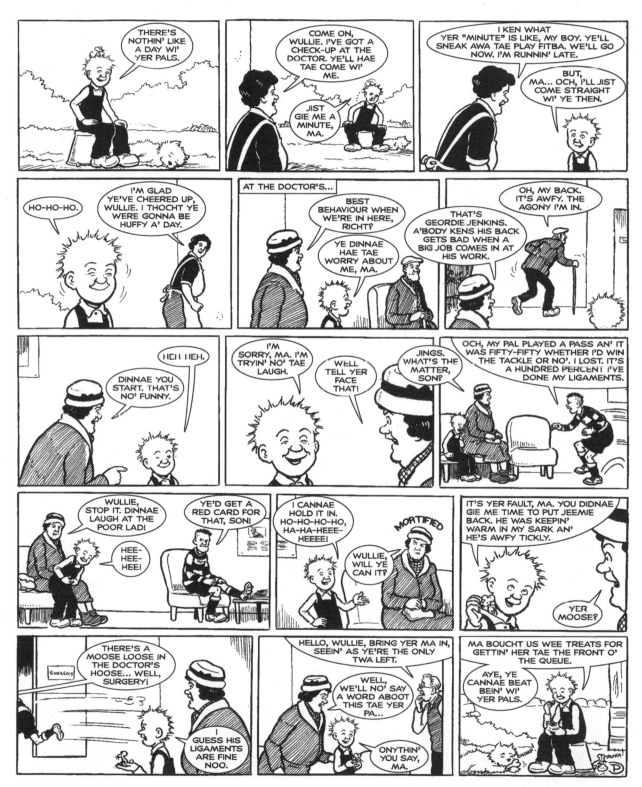

WULLIE MUST PROVE THERE'S A SNAKE
IN THE MYSTERY O' THE MISSIN' CAKE!

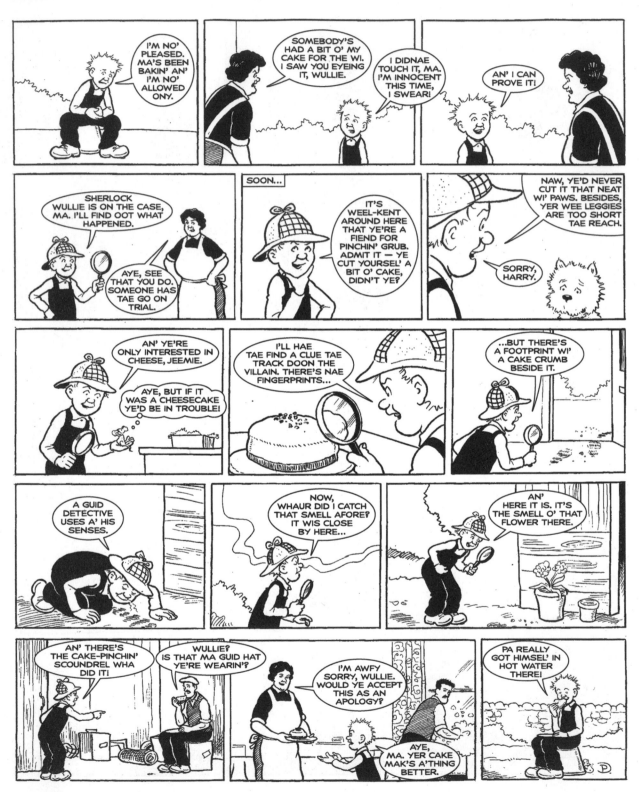

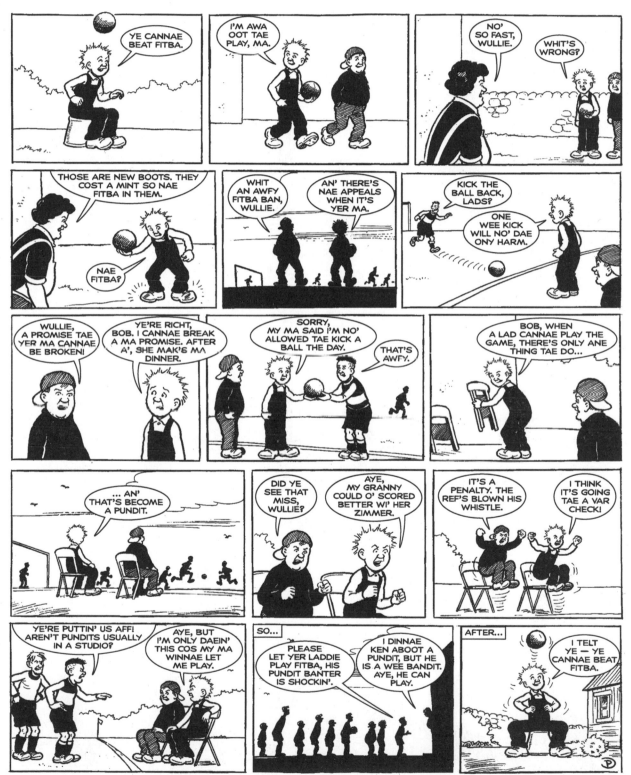

OOR WULLIE'S IN A TIZZY, HIS PALS ARE A' SO BUSY!

WULLIE'S TRYIN' "SEMMY-FORE"
TAE CONTACT BOB LIKE NEVER BEFORE!

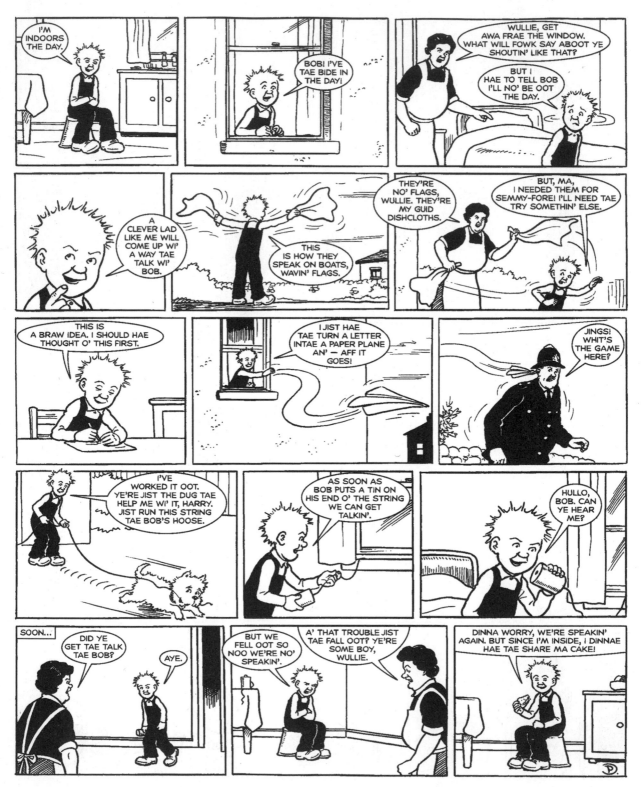

WULLIE LEARNS NO' TAE ASSUME A' HEROES WEAR THE SAME COSTUME.

WULLIE'S PATIENCE IS WEARIN' THIN
WHEN MA CANNAE BAKE WI'OOT HER TIN!

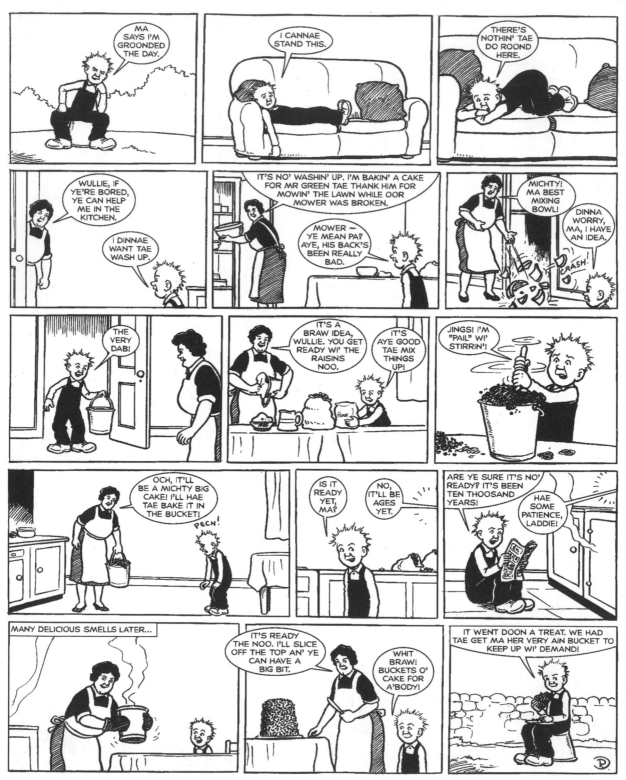

WHO'D HAE THOUGHT A DIRTY SHEET
COULD MAK' WULLIE'S CARTIE COMPLETE?

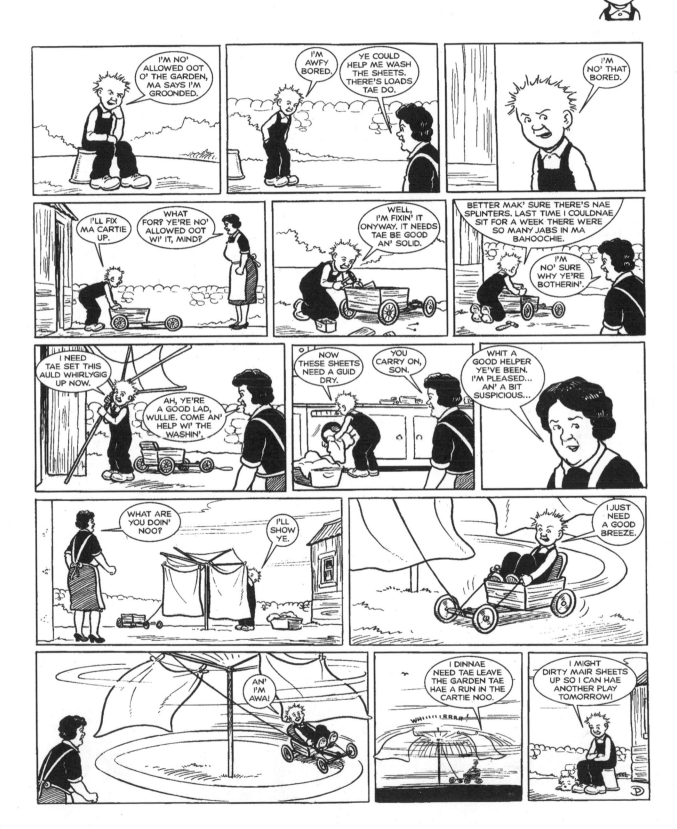

ACCUSING POOR WULLIE O' BEIN' MEAN?
SURELY NO', GRUMPY GREEN!

WULLIE'S THE MASTER O' EVERY SPORT,
WATCH HIS GAIRDEN BECOME ANY BA' COURT!

HERBAL REMEDIES ARE THE THING
WHEN WULLIE GETS A NASTY STING!

OOR WULLIE HAS NAE HOPE,
TILL HE FINDS A TELESCOPE!

WULLIE AN' PA'S EXPEDITION, DISNAE END LIKE NORMAL FISHIN'!

WULLIE'S WEE PAL IS QUITE THE PEST, WHEN WULLIE TRIES TAE FOIL THE TEST!

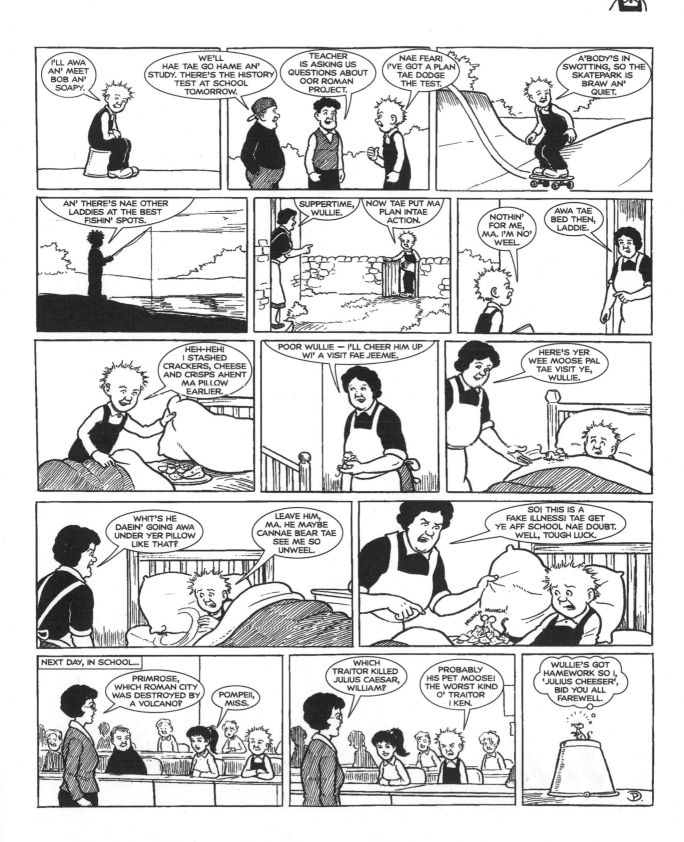

WULLIE'S TAKEN A STEP TOO FAR,
HE'S LANDED RICHT ON MA'S RADAR!

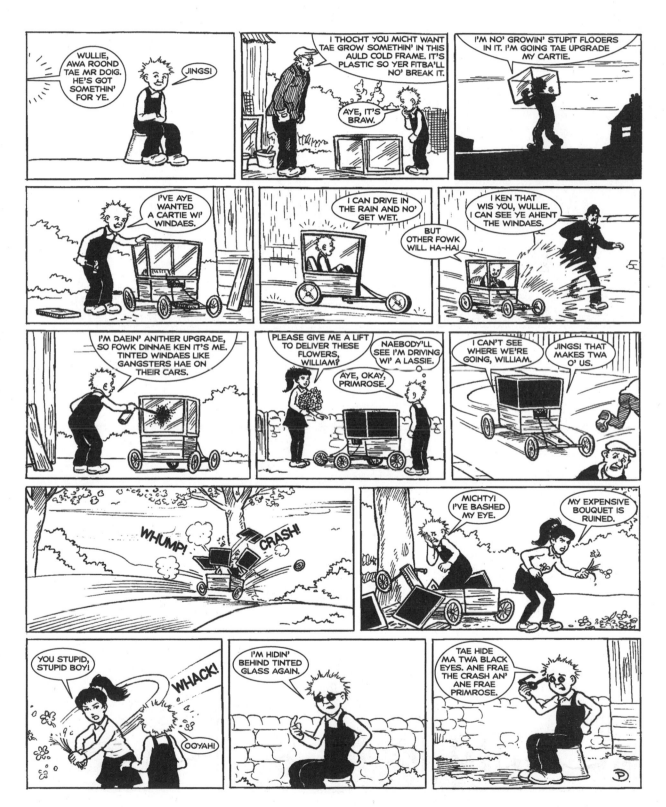

BOB'S PRANKIN' IN THIS STORY, TENDS TAE GET A WEE BIT GORY!

LOOK AT THE CAUSE O' MA'S FRUSTRATIONS, THEY A' COME DOON TAE WULLIE'S CALCULATIONS!

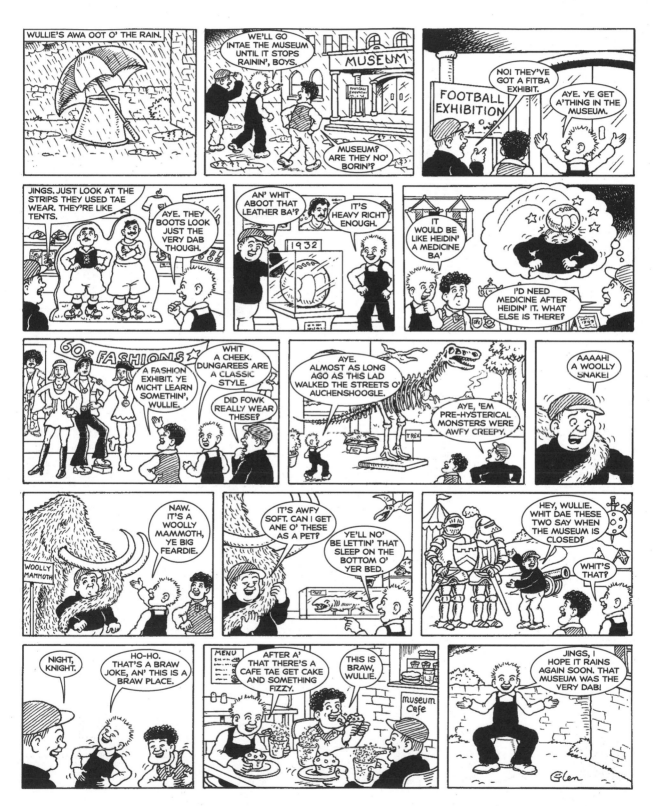

IT'S A STRANGE GAME O' FOOTY,
THAT REQUIRES YE WEAR A BABY BOOTIE!

WULLIE'S STILL GOT PLANS TAE CAUSE FEAR, DESPITE THE GUISIN' CANCELLED FOR A YEAR!

SOME LIVENIN' UP'S WHIT WULL'S DAY'S NEEDIN', BUT NO' IF HE GETS BOOKED FOR SPEEDIN'!

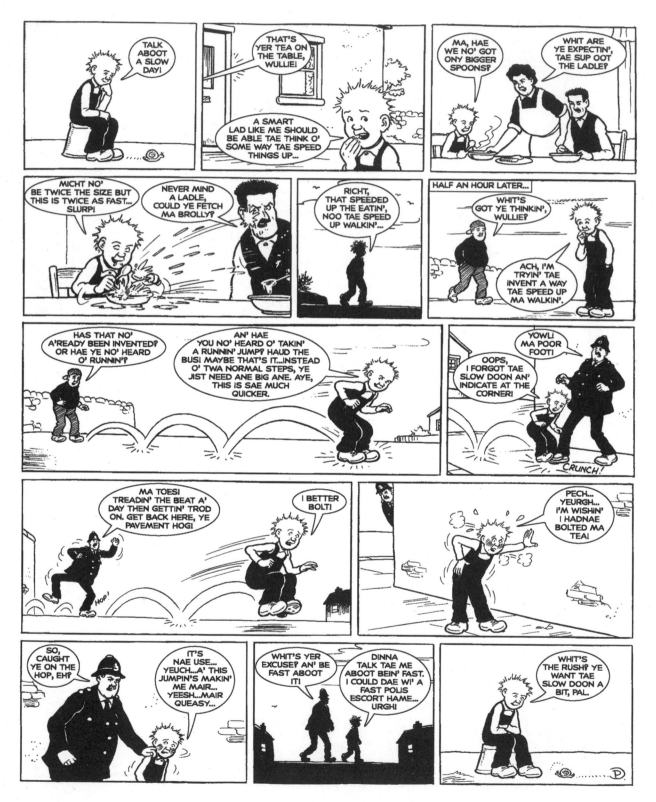

PRANKING AROOND WI' PA GETS DICEY, IT'S NO' COOL BUT DEFINITELY ICY!

THE LADS KEN WHERE THE SNAW IS FOUND,
SO AFF THEY GO TAE HIGHER GROUND!

TRYIN' TAE AVOID A TALE O' CHRISTMAS WOE, OOR WEE LAD'S QUITE THE IMPRESARIO!

OOR WEE PAL USUALLY HAS SOME SWAGGER,
BUT LATELY HE'S BECOME A BIT O' A LAGGER!

PRIMROSE AN' WULLIE FORM A DOUBLE ACT, THAT'LL GO DOON IN HISTORY AN' THAT'S A FACT!

WHEN MA NEEDS SOME CHRISTMAS MAGIC, SHE TURNS TAE A LAD WHA KENS A HAT-TRICK!

THON LAD THAT OWNS THE LOCAL CHIPPER, HE'S AUCHENSHOOGLE'S FINEST SNAWBA FLIPPER!

MA DESPAIRS O' LITTLE BOYS,
WHA CANNAE HELP MAKIN' AN AWFY NOISE!

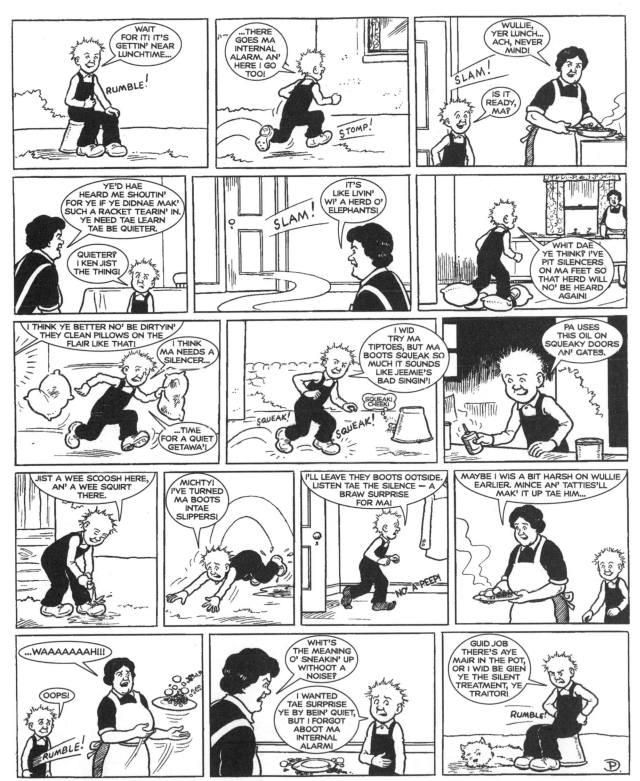

WULLIE'S CRAFTED A POEM FOR THE TEACHER, IN WHICH HIS NAME IS THE MAIN FEATURE!

WHA'S BEST EQUIPPED TAE DEAL WI' CRIME?
WHA'LL SAVE THE DAY IN THE NICK O' TIME?

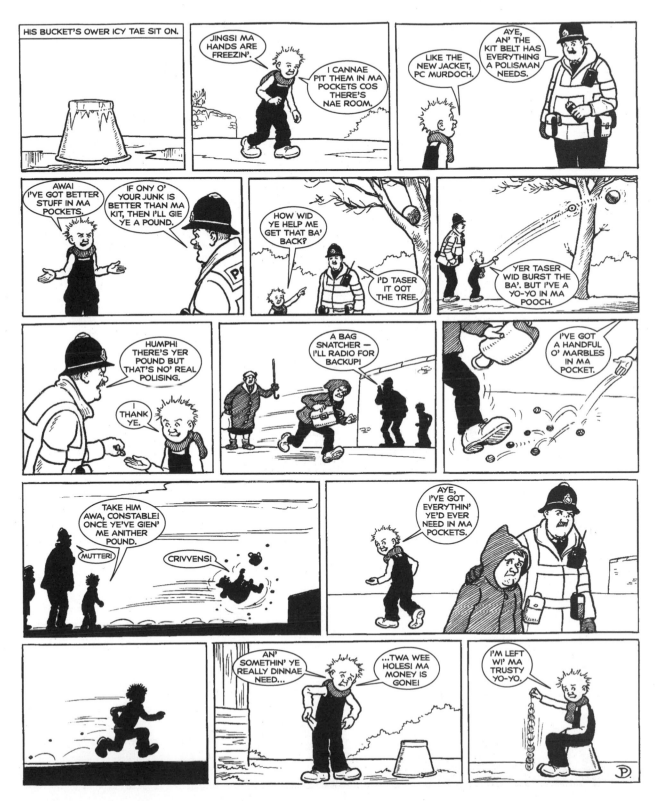

HE'S GONE AND DONE HIMSEL' A MISCHIEF,
TIME AFF THON BUCKET'S HIS ONLY RELIEF!

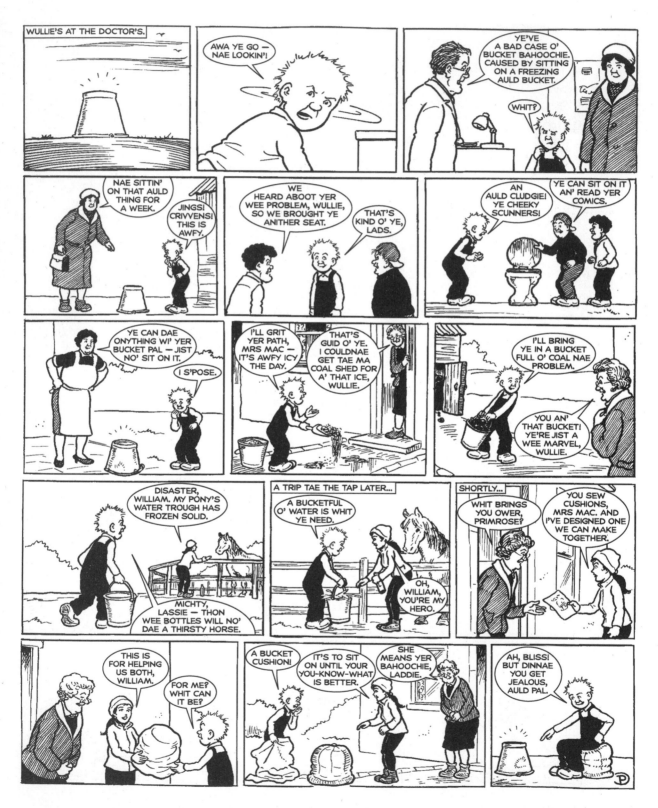

GETTIN' CREATIVE IS JIST THE START, LOOKIN' TAE SURPRISE HIS SWEETHEART!

OOR LAD'LL HAE MAIR HOLES THAN A SIEVE,
IF THERE'S ANE MAIR JAB TAE GIVE!

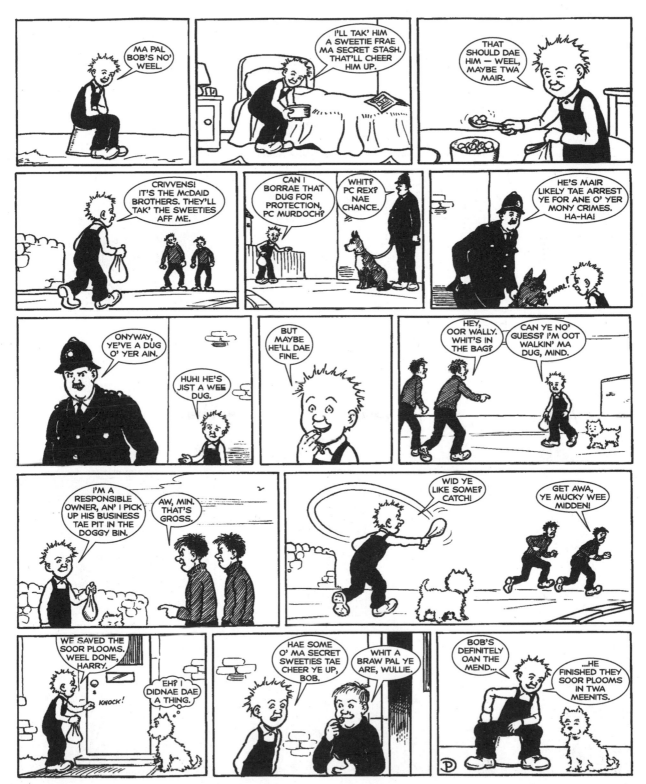

IT WIS AN ACCIDENT AN' NOO HE'S GROUNDED, WULLIE THINKS THE PUNISHMENT IS UNFOUNDED!

WULLIE'S ATTEMPTS AT METAL DETECTIN', END WI' BOB'S LOYALTY DEFECTIN'!

THE LADS FIND THEMSEL'S IN CLOVER, WHEN THEY HAE AN EASTER ROLLOVER!

WULLIE'S GOT SOME IMPORTANT INFORMATION,
HE'LL NEED TAE GET TAE THE POLIS STATION!

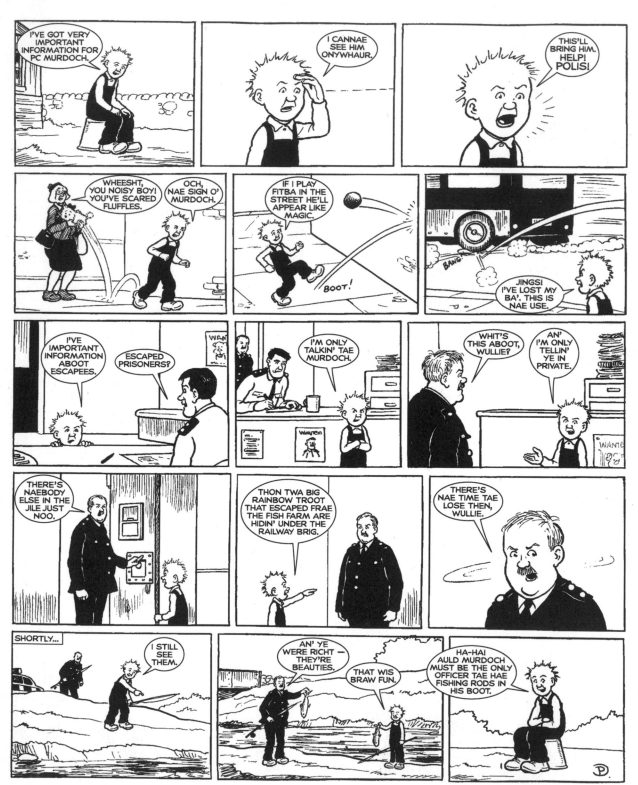

A CHARMED LIFE WI' A' THE LUCK, THAT'S OOR WULLIE'S FRIEND THE PUDDOCK!

OOR WULLIE'S DECIDED IT'S TIME TAE LEAVE HOME,
AN' TAE THE WILDS HE'S AFF TAE ROAM!

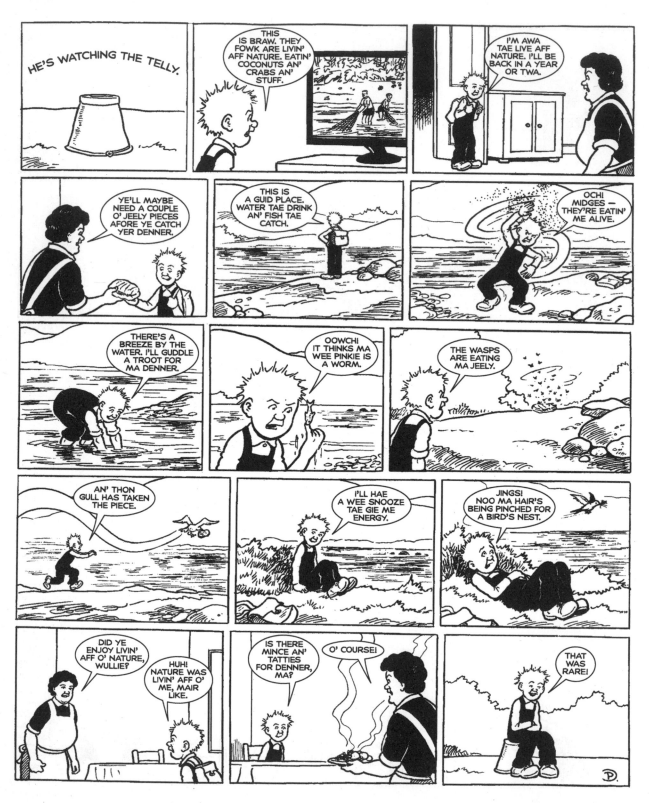

OOR WULLIE'S ON THE CAMPAIGN TRAIL,
WI' STRENGTH O' CHARACTER HE CANNAE FAIL!

INSPIRATION STRIKES LIKE LIGHTNING, WHEN WULLIE TURNS HIS HAND TAE UPCYCLING!

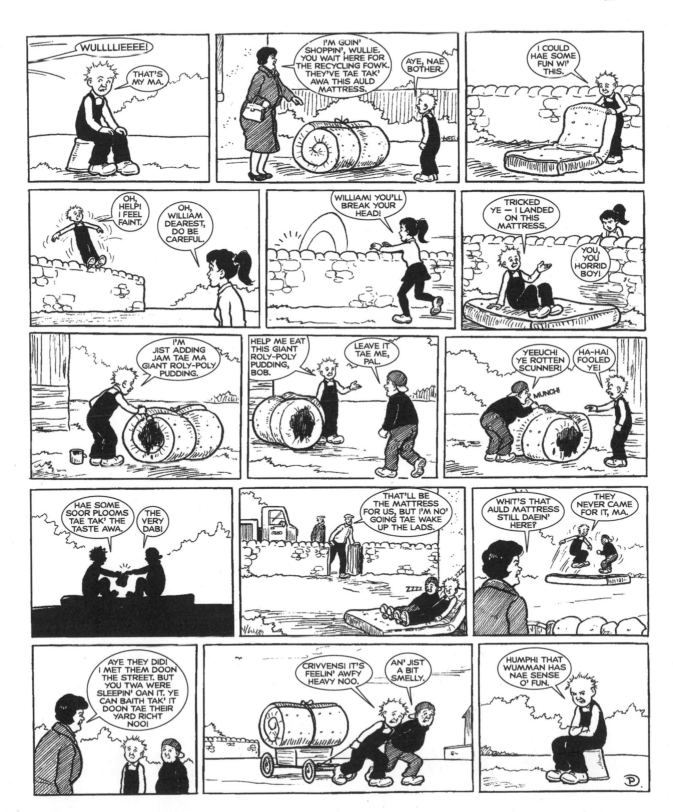

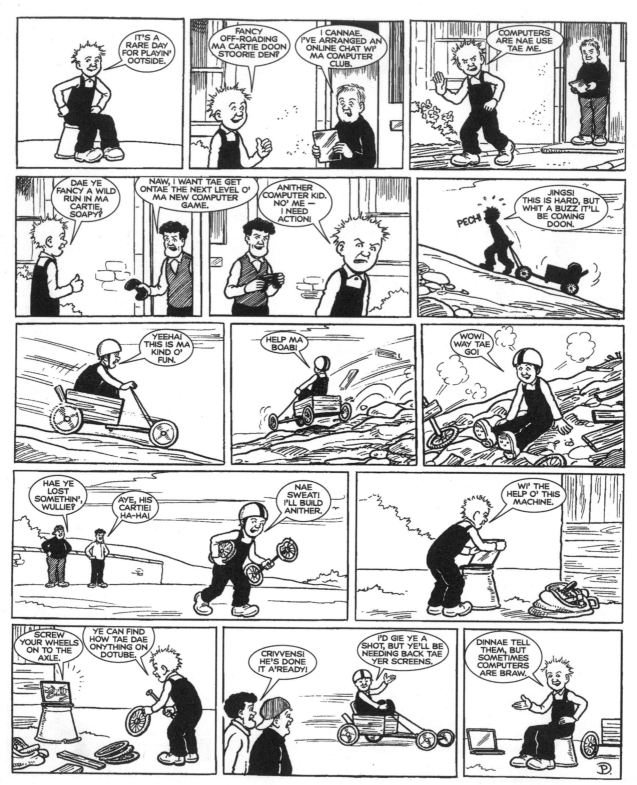

WULLIE'S NO' SO SURE WHIT TAE GET, LOOKIN' FOR A GIFT THAT'LL HIT THE BACK O' THE NET!

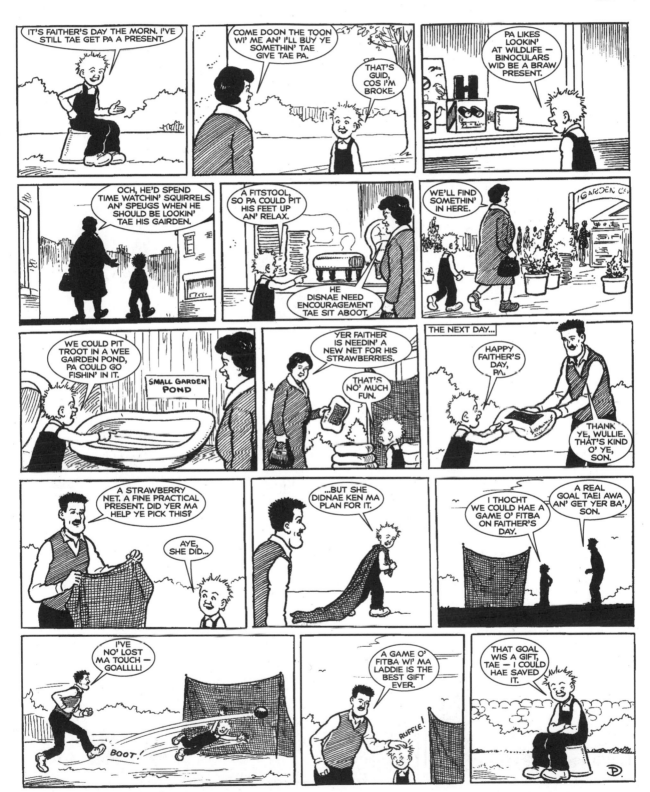

BOB TRIES TAE TAK' A STANCE,
AGAINST WULLIE LEARNIN' HOW TAE DANCE!

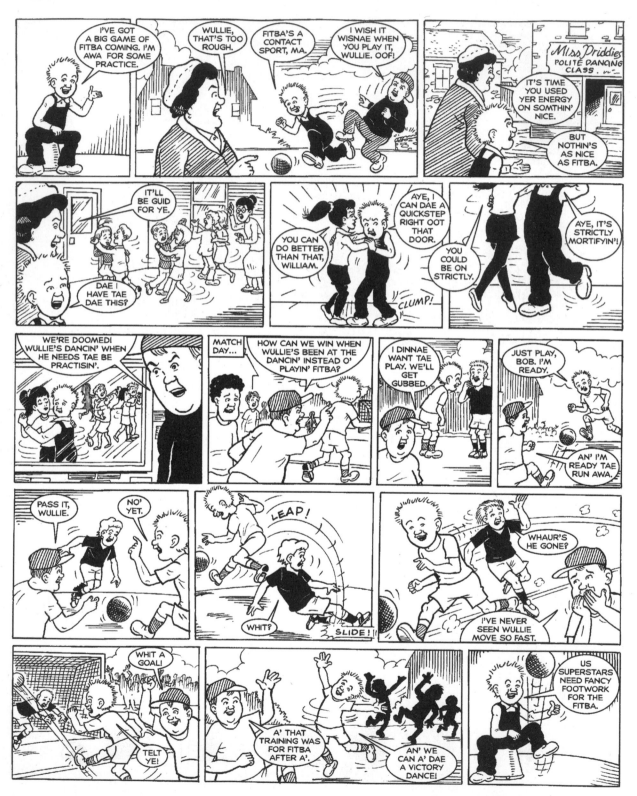

WULLIE'S FAIR BURSTIN' WI' ENERGY AN' BUSTLE,
ESPECIALLY WHEN HE'S NO' MOVIN' A MUSCLE!

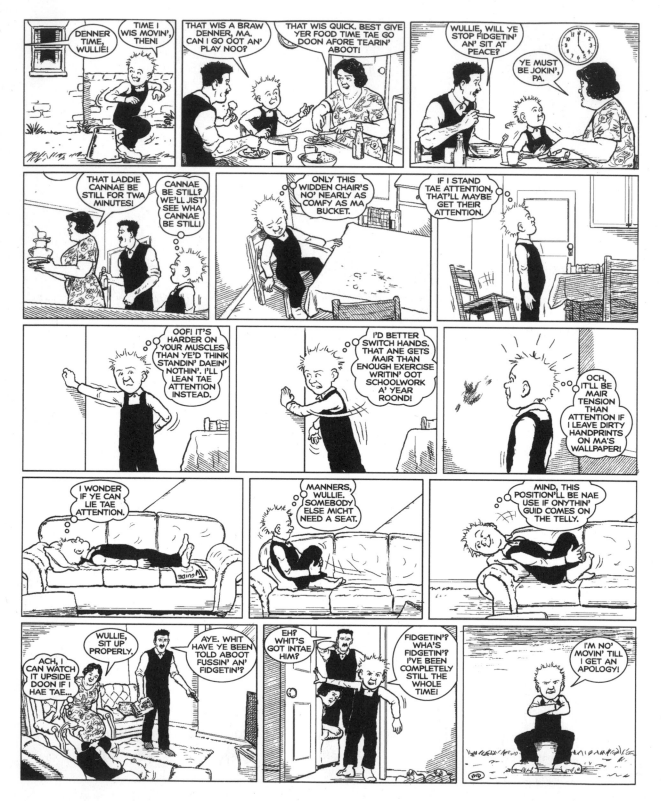

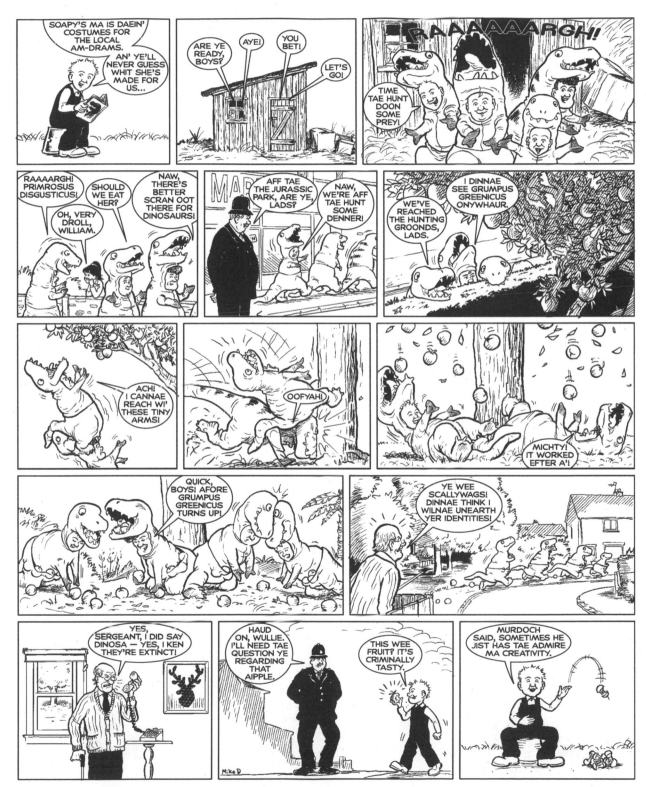

OOR WULLIE'S ON AN INTERGALACTIC MISSION, WHEN HE PUTS ON AN AMAZING EXHIBITION!

WULLIE FORMS AN ALMOST IDENTICAL PAIR, WHEN HE TAK'S A TRIP TAE THE FUNFAIR!

HAS WULLIE REACHED THE END O' THE LINE,
WHEN THE PERSONAL TRAINER RUNS OOT O' TIME?

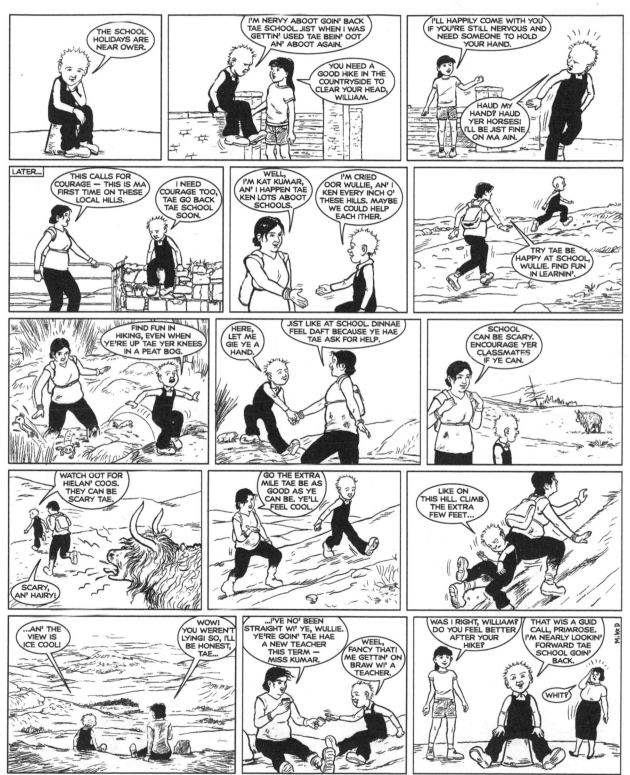